Oiriúnach do pháistí ó 4 bliana go 7 mbliana d'aois

An leagan Béarla
Walker Books Ltd. Londain,
a d'fhoilsigh a chéaduair i 1996 faoin teideal *You and Me Little Bear*
© Téacs: Martin Waddell, 1996
© Léaráidí: Barbara Firth, 1996
An leagan Gaeilge
© Rialtas na hÉireann, 1996
Athchló, 2001
© Foras na Gaeilge

ISBN 1-85791-190-3

Printset & Design Teo. a rinne scannán an chló in Éirinn.
Arna chlóbhualadh san Iodáil ag LEGO (Vicenza).

Le ceannach ó leabhardhíoltóirí
nó tríd an bpost ó:
An Siopa Leabhar,
6 Sráid Fhearchair,
Baile Átha Cliath 2.

Orduithe ó leabhardhíoltóirí chuig:
ÁIS,
31 Sráid na bhFíníní,
Baile Átha Cliath 2.

An Gúm, 24-27 Sráid Fhreidric Thuaidh, Baile Átha Cliath 1

MISE AGUS TUSA, A BHÉIRÍN

Martin Waddell *a scríobh*

Barbara Firth *a mhaisigh*

Seosamh Ó Murchú

a rinne an leagan Gaeilge

An Gúm

Baile Átha Cliath

Scéal é seo faoi dhá bhéar –

béar mór agus béar beag.

Béar Mór ab ainm don bhéar mór

agus Béirín ab ainm don bhéar beag.

Lá amháin bhí fonn spraoi ar Bhéirín

ach bhí rudaí le déanamh ag Béar Mór.

'Teastaíonn uaim dul ag spraoi,'

arsa Béirín.

'Caithfidh mé ábhar tine a bhailiú,'

arsa Béar Mór.

'Cabhróidh mise leat,' arsa Béirín.

'Mise agus tusa, a Bhéirín,' arsa Béar Mór,

'baileoimid le chéile é.'

'Cad a dhéanfaimid anois?' a d'fhiafraigh

Béirín.

'Caithfidh mé uisce a fháil,' arsa Béar Mór.

'Tiocfaidh mise leat,' arsa Béirín.

'Mise agus tusa, a Bhéirín,' arsa Béar Mór,

'gheobhaimid an t-uisce le chéile.'

'Anois tá sé in am spraoi,' arsa Béirín.

'Tá an phluais le glanadh fós,' arsa Béar Mór.

'Bhuel . . . cabhróidh mé leat,' arsa Béirín.

'Mise agus tusa le chéile,' arsa Béar Mór.

'Déan thusa do chuid féin, a Bhéirín.

Déanfaidh mise an chuid eile.'

'Tá an jab sin déanta agam,' arsa Béirín.

'Maith thú!' arsa Béar Mór, 'ach níl mise críochnaithe go fóill.'

'Teastaíonn uaim dul ag spraoi,' arsa Béirín.

'Beidh ort dul ag spraoi leat féin, a Bhéirín,' arsa Béar Mór.

'Tá a lán fós le déanamh agamsa.'

Chuaigh Béirín ag spraoi agus lean Béar Mór ar aghaidh ag obair.

Chaith Béirín tamall
ag béarléimneach.

Chaith Béirín tamall

ag sleamhnú

ar a bhéarthóinín.

Chaith Béirín tamall ag
béarluascadh ar ghéag.

Chaith Béirín tamall ag
béarspraoi le cipíní na coille.

Sheas Béirín ar a bhéarchloigeann.

Tháinig Béar Mór amach agus shuigh sé ar charraig. Chaith Béirín tamall ag béar-rith thart leis féin agus dhún Béar Mór a shúile le machnamh a dhéanamh.

Anonn le Béirín chun

labhairt le Béar Mór

ach bhí Béar Mór . . .

ina chodladh!

'Dúisigh, a Bhéir Mhóir!' arsa Béirín.

D'oscail Béar Mór a shúile.

'Bhí mé ag spraoi liom féin

an t-am ar fad,' arsa Béirín.

Bhí Béar Mór ina thost ar feadh tamaill agus
ansin dúirt sé:

'Imreoimid folach bíog, a Bhéirín.'

'Rachaidh mise i bhfolach,' arsa Béirín,
agus d'imigh sé leis.

'Táim ag teacht,' arsa Béar Mór agus chuardaigh sé gur tháinig sé ar Bhéirín.

Ansin chuaigh Béar Mór i bhfolach agus chuaigh Béirín á lorg.

'Tá tú agam,' arsa Béirín.

'Anois rachaidh mise i bhfolach arís.'

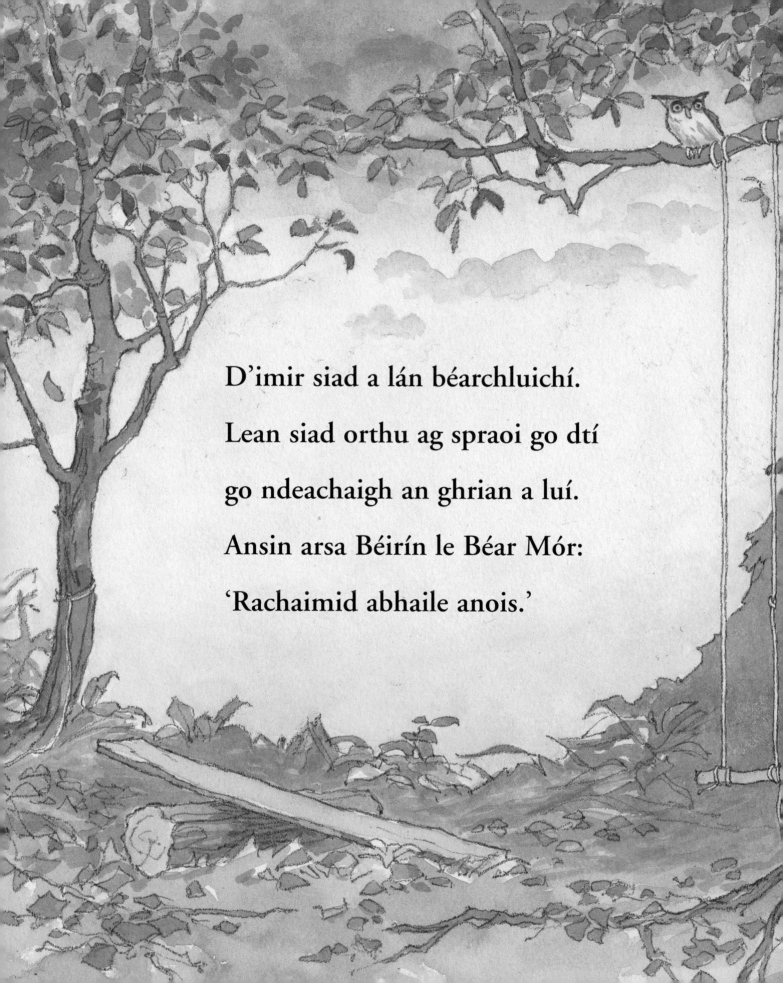

D'imir siad a lán béarchluichí.

Lean siad orthu ag spraoi go dtí

go ndeachaigh an ghrian a luí.

Ansin arsa Béirín le Béar Mór:

'Rachaimid abhaile anois.'

Chuaigh Béar Mór agus Béirín abhaile

go dtí an phluais.

'Bhí lá mór againn inniu, a Bhéirín,'

arsa Béar Mór.

'Bhí sé go hiontach,' arsa Béirín.

'Mise agus tusa ag spraoi . . .

le chéile.'